La petite Princesse et les livres

Texte : Gilles Tibo
Illustrations : Josée Masse

À Matilde et à Romane,
les deux grandes princesses
de la reine Martine.
Gilles Tibo

À Marcel et à maman,
mes royaux parents !
Josée Masse

Il était une fois une petite Princesse qui détestait les livres.

Impatiente, elle voulait toujours connaître la fin de l'histoire avant même d'en savoir le début.

Jalouse de la beauté des héros, elle barbouillait les illustrations.

Paresseuse, elle refermait le livre chaque fois qu'elle tombait sur un mot inconnu.

Un jour, complètement exaspérée par ses lectures, la petite Princesse convoqua la fée Tourloupinette :
- Fée Tourloupinette, je vous ordonne de sceller tous les livres du royaume.
- Tous les livres ? demanda la bonne fée.
- Tous les livres, ordonna la petite Princesse.
Les romans, les grimoires et même les dictionnaires !

La fée Tourloupinette leva sa baguette et prononça la formule magique :
- Turlupino, Turlupini, Turlupinette !

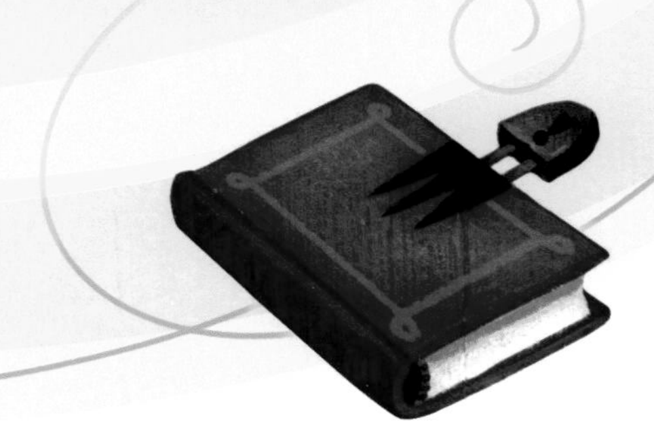

Aussitôt la formule magique prononcée, il y eut un grand bouleversement dans le royaume.

CLAC ! Les livres de recettes se refermèrent sous les yeux étonnés des cuisiniers.
CLAC ! CLAC ! Les livres d'anatomie se refermèrent sur les bureaux des médecins.

CLAC ! CLAC ! CLAC ! Les grands livres d'histoires se refermèrent entre les mains des enfants, qui se mirent à pleurer.

Les parents, surpris, tentèrent par tous les moyens d'ouvrir les livres. Le forgeron martela la couverture d'un bouquin...
Le mécanicien essaya d'ouvrir un almanach
avec des pinces...
Le boucher, agitant ses grands couteaux, finit par couper un livre en petits morceaux...

Même le seul voleur du royaume, spécialisé dans les coffres-forts, ne réussit jamais à ouvrir le moindre petit bouquin.

Les habitants, privés de lecture, voulurent emprunter des livres aux pays voisins. Mais chaque fois qu'un bouquin traversait la frontière, CLAC ! il se refermait d'un coup sec.

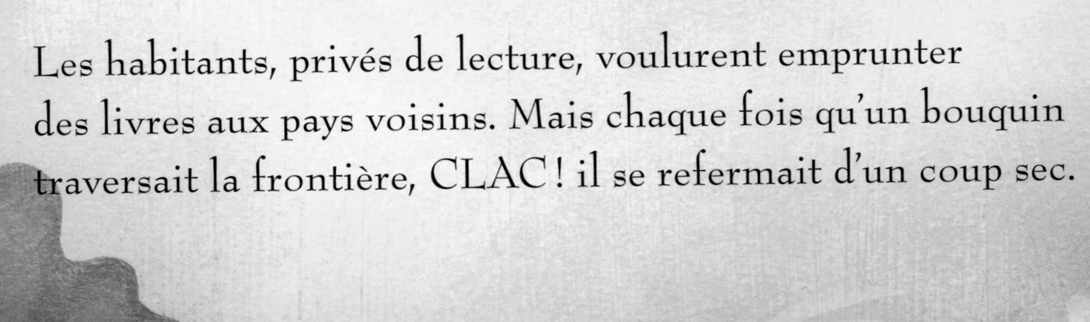

Au fil des jours, des semaines et des mois, tous les sujets du royaume glissèrent dans une tristesse sans nom.
Plus personne ne riait, ne parlait, ne rêvait...
La vie était devenue triste et terne.

La petite Princesse elle-même commençait à s'ennuyer. Elle ne pouvait plus écrire son journal personnel... Son papa, le roi, ne lui lisait plus d'histoires... Et elle ne pouvait plus dessiner ses rêves dans son grand cahier.

Un jour qu'elle cherchait à se désennuyer en explorant les caves du château, elle trouva un livre étrange... un livre qui ressemblait à un coffre au trésor...
Piquée par la curiosité, la petite Princesse convoqua donc la seule personne qui pouvait l'aider.
- Fée Tourloupinette, ouvrez ce livre !
- Uniquement ce livre ? demanda la fée.
- Oui, seulement celui-ci, répondit la petite Princesse.

La bonne fée prononça la formule magique :
- Turlupino, Turlupini, Turlupinette !

SCHLING ! PLIOUNG ! PLING ! Le livre s'ouvrit comme par enchantement. La petite Princesse commença à lire une histoire fabuleuse... l'histoire d'une princesse qui lui ressemblait comme deux gouttes d'eau.

Encouragée par la fée, la jeune lectrice ne fut pas jalouse des personnages. Emportée par la musique des mots, elle ne voulut pas connaître tout de suite la fin de l'histoire. Et, au premier mot inconnu, elle demanda un dictionnaire.
– Turlupino, Turlupini, Turlupinette !

Ravie par sa lecture, la petite Princesse s'exclama :
– Bonne fée, je ne peux plus me passer de lecture !
Je veux lire tous les livres du château et tous les autres livres du royaume, et aussi tout plein d'autres livres !

Aussitôt, la bonne fée leva sa baguette magique.
– Turlupino, Turlupini, Turlupinette !

CLAC ! Les livres scellés s'ouvrirent d'un coup sec. CLAC ! CLAC ! D'autres livres apparurent dans les bibliothèques.

CLAC ! CLAC ! CLAC ! Les grands-parents, les parents et les enfants, très heureux, se replongèrent dans la lecture d'histoires fabuleuses !

C'est ainsi que, dans tout le royaume, on recommença à parler, à rire, et bien sûr, à rêver...

Catalogage avant publication de Bibliothèque et Archives nationales du Québec et Bibliothèque et Archives Canada

Tibo, Gilles, 1951-

La petite Princesse et les livres

(Mes premières histoires)
Pour enfants de 3 à 5 ans.

ISBN 978-2-89608-076-2

I. Masse, Josée. II. Titre. III. Collection : Mes premières histoires (Éditions Imagine).

PS8589.I26P472 2010 jC843'.54 C2009-942246-8
PS9589.I26P472 2010

Dans la même série :
La petite Princesse et le vent
La petite Princesse et le Prince

Graphisme : Pierre David

Dépôt légal : 2010
Bibliothèque nationale du Québec
Bibliothèque nationale du Canada

Les éditions Imagine
4446, boul. Saint-Laurent, 7e étage
Montréal (Québec) H2W 1Z5
Courriel : info@editionsimagine.com
Site Internet : www.editionsimagine.com

Tous nos livres sont imprimés au Québec
10 9 8 7 6 5 4 3 2 1

Conseil des Arts du Canada
Canada Council for the Arts

Gouvernement du Québec – Programme de crédit d'impôt pour l'édition de livres – Gestion SODEC

Nous reconnaissons l'aide financière du gouvernement du Canada par l'entremise du Fonds du livre du Canada pour nos activités d'édition.

Nous remercions le Conseil des Arts du Canada de l'aide accordée à notre programme de publication.

Programme d'aide aux entreprises du livre et de l'édition spécialisée de la SODEC